SO-ATU-068

DISCARDED FROM
GARFIELD COUNTY
LIBRARIES

GARFIELD COUNTY LIBRARIES
Carbondale Branch Library
320 Sopris Ave
Carbondale, CO 81623
(970) 963-2889 – Fax (970) 963-8573
gcpld.org

PARIS

Para Barbara y Guillermo, compañeros de viaje.
- Luciano Lozano

Mira el mar infinito.

- Walt Whitman

"SIRENA DE PIEDRA"
1ª edición: abril de 2019

Texto e ilustración ©Luciano Lozano
Publicado por ©Tres Tigres Tristes
Tres Tigres Tristes es un sello de Publicaciones Ilustradas TTT S.L.
🐾🐾🐾 **www.trestigrestristes.com**

Dirección editorial: Guillermo Pérez Aguilar ❤ Barbara Centorbi Rojo
ISBN: 978-84-949109-6-8 / Depósito Legal: SE 551-2019
Impreso en España

Todos los derechos reservados.

Luciano Lozano

Sirena de piedra

🐾 🐾 🐾

Nadie le había puesto nombre a la sirena.
Vivía en la Plaza de la Concordia, en uno
de los monumentos más hermosos de
París: la Fuente de los Mares.

Se sentía extraña, porque toda la fuente era de metal. Toda, menos ella. Era una sirena de piedra.

No sabía cómo había llegado a aquella fuente, tenía la sensación de que siempre había estado allí.

Cuando llegaba la noche, los habitantes de la fuente hablaban del mar: un lugar donde el azul era infinito. La sirena aprendió que allí vivían todo tipo de peces, y que los hombres lo visitaban para bañarse en sus aguas.

—¡Cuánto me gustaría ver el mar! —suspiraba la pequeña sirena cada noche.

—¡Deberías conformarte con lo que tienes…! ¡Estás en el mejor lugar de todos! ¡París debe verse tan hermoso desde ahí arriba…! —le contestaban las criaturas de la fuente.

Pero la sirena sentía que aquel lugar, aunque hermoso y lleno de luces, no era su hogar.

Cada invierno, vaciaban la fuente para que el agua no se helara, y a veces la cubría un manto frío y blanco.

Cada verano, los perros se metían en la fuente para refrescarse.

Y así iban pasando los años.

Pero un día, una madre y su hijo se acercaron a la fuente.

—¡Benjamín, tienes que pedir un deseo! —ordenó la madre, y después lanzó una moneda al agua.

Era algo que sucedía a menudo, pero justo aquel día, aquel niño no supo qué pedir con aquella moneda. La sirena de piedra se dio cuenta y, sin pensarlo dos veces, aprovechó para formular su propio deseo. Sabía exactamente lo que quería.

Cuando llegó la noche, la cola de pez de la sirena se convirtió en un par de piernas con muchos dedos en los pies que se movían inquietos. Había oído que algunos deseos que concedía la fuente eran efímeros y no duraban más que un día, así que no tenía tiempo que perder. Sin dudarlo, se bajó de su pedestal dispuesta a empezar su viaje.

—¿A dónde vas, sirena de piedra? ¡Quédate con nosotros, el camino es largo y está lleno de peligros! —le gritaron los tritones y las nereidas, preocupados. Pero la sirena no les hizo caso.

Primero un pie, luego el otro…

La sirena trataba de imitar la forma de andar de los humanos, pero no era fácil y a veces se caía al suelo.

Las estatuas de piedra del parque de las Tullerías no dijeron nada, aunque la sirena tuvo la sensación de que le advertían con la mirada:

—¿A dónde vas, sirena de piedra? ¡Quédate con nosotros, el camino es largo y está lleno de peligros! —Pero la sirena no les hizo caso.

El sol brillaba alto en el cielo cuando se encontró con unos seres extraños que nadaban junto a otra sirena. Pensó que había llegado a su destino, pero se dio cuenta de que no era el mar, sino otra fuente como la suya. Era algo más grande, pero una fuente al fin y al cabo.

Decidió seguir con su camino.

Más adelante se encontró con un montón de peces, que la miraron con ojos de asombro. El Señor Pulpo le indicó que el mar quedaba aún muy lejos de allí. Tenía que seguir caminando.

—¿A dónde vas, sirena de piedra? ¡Quédate con nosotros, el camino es largo y está lleno de peligros! —le dijeron los peces y las langostas. Pero la sirena, una vez más, no les hizo caso.

CHARCUTERIE

CA

Llegó hasta el río Sena y vio a muchas personas tomando el sol en la arena. Otros se bañaban en sus aguas. Algo dentro de sí le decía que aquello no era el mar todavía, pero no estuvo segura de ello hasta que unas palomas le gritaron, inquietas:

—¿A dónde vas, sirena de piedra? ¡Quédate con nosotras, el camino es largo y está lleno de peligros! —Y ella continuó caminando.

La sirena caminó mucho tiempo. Además de cansada, se sentía triste. ¡Incluso echaba de menos su fuente!

Desesperada, se puso a llorar.

De pronto, escuchó una música. Miró hacia arriba
y vio a alguien tocando un violín.

La sirena cerró los ojos y, aunque no recordaba haberlo hecho antes, se puso a cantar.

Una bandada de cisnes que pasaba por allí, como cada año al acabar el verano, oyó la hermosa voz de la sirena y no pudo evitar bajar para escucharla mejor.

Cuando la sirena abrió los ojos, los cisnes
estaban aplaudiendo.

Entre lágrimas, les dijo:

—Sé lo que pensáis: que no debo ir al mar. Que el
camino es largo y está lleno de peligros…

Pero entonces, los cisnes graznaron entusiasmados:

—¡Nosotros vamos al mar! ¡Ven con nosotros, sirena de piedra! ¡El camino es corto y está lleno de aventuras!

—Pero yo no puedo volar…

—¡Eso tiene solución! —respondió uno de los cisnes.

Al anochecer, la sirena recuperó su cola de pez. En lugar de preocuparse,
pasó toda la noche cantando. Hasta que…

—¡Por fin...! ¡El mar!

La sirena se sumergió en el azul infinito. Cuando tocó el fondo, la piedra se rompió en dos mitades como una nuez. Y dentro estaba ella, con su verdadero cuerpo cubierto de brillantes escamas.

—¡Qué fascinante…! —exclamó la sirena.

De alguna forma, intuía que había vuelto a casa.

Desde entonces, la sirena canta cada día en el fondo del mar. Sus canciones hablan de fuentes de hierro pobladas por seres inmóviles y de una ciudad llena de luces.

Si alguna vez visitas la Fuente de los Mares, verás que la sirena de piedra ya no vive allí. Por las noches, los seres de la plaza aún se preguntan qué habrá sido de ella.

Y no te preocupes si, al lanzar tu moneda, no tienes ningún deseo que pedir. Quizá haya alguien que, en ese momento, lo necesite más que tú.

Fontaine des Mers
(Place de la Concorde)

Jardin des Tuileries

Poissonnerie
(62-72 Rue Montorgueil)

Place de
Furstemberg